D1122047

Park Güell

NATURALEZA Y OBRA DE ARTE

TEXTOS Y FOTOGRAFÍAS
CARLOS GIORDANO &
NICOLÁS PALMISANO

DOSDEARTE EDICIONES

Sumario :: Sumari :: Contents

Introducción :: Introducció :: Introduction

<< **Antoni Gaudí**
1852 / 1926
Reus / Barcelona

- El Park Güell es el resultado de un frustrado proyecto de ciudad jardín. Promovido por el industrial Eusebi Güell, se comenzó a construir en el año 1900 en la montaña Pelada, lo que antiguamente eran las afueras de Barcelona. El proyecto de Gaudí consistía en un parque cerrado de 15 hectáreas, dotado de áreas comunitarias, caminos, paseos y 60 parcelas de forma triangular en cuyo centro se construiría una casa rodeada de un jardín. En el año 1914, la falta de interés en el proyecto provocó la suspensión definitiva de las obras, habiéndose construido hasta esa fecha las zonas comunitarias y tan solo dos casas de las sesenta proyectadas. En 1925 es adquirido por el ayuntamiento que lo transforma en parque público y en 1984 es declarado Patrimonio Mundial por la UNESCO.

- El Park Güell és el resultat d'un frustrat projecte de ciutat jardí. Promogut per l'industrial Eusebi Güell, es va començar a construir l'any 1900 a la muntanya Pelada, el que antigament eren els afores de Barcelona. El projecte de Gaudí consistia en un parc tancat de 15 hectàrees, dotat d'àrees comunitàries, camins, passeigs i 60 parcel·les de forma triangular al centre del qual es construiria una casa envoltada d'un jardí. L'any 1914, la falta d'interès pel projecte va provocar la suspensió definitiva de les obres. Fins a aquesta data s'havien construït les zones comunitàries i tan sols dues cases de les seixanta projectades. El 1925 l'adquireix l'Ajuntament, que el transforma en parc públic i l'any 1984 la UNESCO el declara Patrimoni Mundial.

- Park Güell is fruit of a failed garden city project. Promoted by industrialist Eusebi Güell, its construction began in 1900, on Pelada mountain, which was formerly on the peripheries of Barcelona. Gaudí's project consisted of an enclosed park, measuring 15 hectares, which would have communal areas, pathways, passages and 60 triangular plots of land in whose centres would be built a house surrounded by a garden. In the year 1914, a lack of interest in the project led to a definitive halt in construction work, with only the communal areas and two of the planned sixty houses being built. It was then acquired in 1925 by the City Council to be transformed into a public park and declared a World Heritage Site by UNESCO in 1984.

CARRER
D'OLOT

La entrada
L'entrada / The entrance

01

El parque, cerrado por todos sus lados, está rodeado por una muralla de piedra rematada por franjas de cerámica y decorada con medallones circulares con las inscripciones "Park" y "Güell". La entrada principal se sitúa entre dos pabellones de estructura orgánica que están coronados por cúpulas con forma de setas. El más pequeño de ellos, que tiene una torre de 16 metros con una cruz de cuatro brazos, era el destinado a la administración y el más grande estaba destinado a la portería. La puerta principal, de hojas de palmito realizadas en forja, perteneció originalmente a la casa Vicens.

El parc, tancat per tots els costats, està envoltat per una muralla de pedra rematada per franges de ceràmica i decorada amb medallons circulars amb les inscripcions "Park" i "Güell". L'entrada principal se situa entre dos pavellons d'estructura orgànica que estan coronats per cúpules en forma de bolets. El més petit, que té una torre de 16 metres amb una creu de quatre braços, era el destinat a l'administració, i el més gran estava destinat a la porteria. La porta principal, de fulles de margallons fetes en forja, va pertànyer originalment a la casa Vicens.

A stone wall, bordered with ceramic tiles and decorated with circular medallions inscribed with inscriptions "Park" and "Güell", surrounds the park, which is closed on all sides. The main entrance is situated between two lodges of organic structure, which are crowned by mushroom-shaped cupolas. The smallest of all, possessing a 16 metre high tower with a four-armed cross, was to be used for administration and the largest as caretaker's lodge. The main door, with palm leaves forged in iron, originally belonged to Vicens house.

001

002

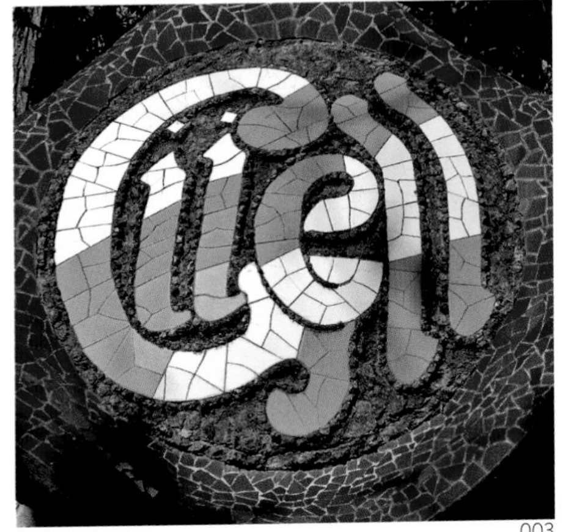

003

001 **LA TORRE**
Alcanzando 16 metros de altura y ubicada en el pabellón de la administración, está coronada por una cruz de cuatro brazos.

LA TORRE
Amb 16 metres d'altura i ubicada al pavelló de l'administració, està coronada per una creu de quatre braços.

THE TOWER
Reaching 16 metres high and situated on the administration lodge, it is crowned with a four-armed cross.

002 Y 003 **MEDALLONES**
Sobre el muro exterior están ubicados numerosos medallones con las palabras "Park" y Güell".

MEDALLONS
Sobre el mur exterior hi ha un gran nombre de medallons amb les paraules "Park" i "Güell".

MEDALLIONS
On the exterior wall are numerous medallions with words "Park" and "Güell".

004

004 **MURO EXTERIOR**
Realizado en piedra sacada del mismo parque, rodea todo el perímetro.
MUR EXTERIOR
Construït en pedra extreta del mateix parc, envolta tot el perímetre.

EXTERIOR WALL
Surrounding the perimeter, it is built with stone extracted from the park.

005
La entrada principal

● Gaudí proyectó para la entrada principal un monumental portal que nunca se llegó a construir. La reja actual, formada por hojas de palmito forjadas en hierro, proviene de los jardines de la casa Vicens, una de las primeras obras del arquitecto.

● Gaudí va projectar per a l'entrada principal un portal monumental que mai es va arribar a construir. La reixa actual, formada per fulles de margalló forjades en ferro, prové dels jardins de la casa Vicens, una de les primeres obres de l'arquitecte.

● Gaudí planned a monumental doorway for the main entrance but it was never carried out. The present railings, of forged iron palm leaves, originate from Vicens house, and are one of the architect's first works.

006 007 008 009 010

006 Y 007 **CERÁMICAS**
El muro y los pabellones están decorados con detalles cerámicos.
CERÀMIQUES
El mur i els pavellons estan decorats amb ceràmica policromada.
CERAMIC WORK
The wall and lodges are decorated with polychromatic ceramic work.

008 A 010 **LAS VENTANAS**
Numerosas ventanas combinan la piedra, la cerámica y la forja en hierro.
FINESTRES
Un gran nombre de finestres combinen la pedra, la ceràmica i la forja en ferro.
WINDOWS
Numerous windows combine stonework, ceramic work and forged iron.

011

012

013

014

011 **CÚPULA DE LA PORTERÍA**
Decorada con cerámicas de colores, representa una seta.
CÚPULA DE LA PORTERIA
Decorada amb ceràmiques de colors, evoca un bolet.
CUPOLA ON CARETAKER'S LODGE
Decorated with coloured ceramic tiles and of mushroom shape.

012 A 014 **DETALLES**
De formas onduladas, los pabellones de entrada combinan piedra y cerámica.
DETALLS
De formes ondulades, els pavellons d'entrada combinen pedra i ceràmica.
DETAILS
With undulating shape, the entrance lodges combine stone and ceramic work.

015

El pabellón de la administración

● Ubicado a la izquierda de la puerta principal, es de planta ovalada, muros sin aristas y arcos parabólicos. La cúpula del pabellón está realizada en cerámica de colores y está coronada con un elemento en forma de seta. A un lado sale una alta torre revestida con una cuadrícula de cerámica blanca y azul.

● Ubicat a l'esquerra de la porta principal, és de planta ovalada, murs sense arestes i arcs parabòlics. La cúpula del pavelló està feta en ceràmica de colors i està coronada amb un element en forma de bolet. A una banda surt una torre alta revestida amb una quadrícula de ceràmica blanca i blava.

● Placed on the left hand side of the main entrance, it has an oval shaped ground plan, walls without edges and parabolic arches. The lodge cupola is carried out in coloured ceramic work and is crowned with a mushroom-shaped element. On one side, a tower soars, covered over with blue and white grid work.

016

017

018

016 **LA PORTERÍA**
Es el pabellón de mayores dimensiones y constaba de sala, cocina, dormitorios y un desván con chimenea.
LA PORTERIA
És el pavelló de dimensions més grans i constava de sala, cuina, dormitoris i unes golfes amb xemeneia.
CARETAKER'S LODGE
It is the largest lodge and comprises of a room, kitchen, bedrooms and an attic with chimney.

017 **LA PORTERÍA**
En contraste con la piedra, la puerta de entrada está realizada en hierro forjado.
LA PORTERIA
En contrast amb la pedra, la porta d'entrada està feta en ferro forjat.
CARETAKER'S LODGE
In contrast to the stone, the entrance is made of forged iron.

018 **LA ADMINISTRACIÓN**
Es el pabellón más pequeño y destaca por su torre de 16 metros, coronada con una cruz de cuatro brazos.
L'ADMINISTRACIÓ
És el pavelló més petit i destaca per la torre de 16 metres, coronada amb una creu de quatre braços.
ADMINISTRATION LODGE
It is the smallest lodge and stands out for its 16 metre tower, which is crowned with a four armed cross.

019

020

021

022

019 **ACCESO AL PARQUE / ACCÉS AL PARC / ACCESS TO THE PARK**

020, 021 Y 025 **LA FORJA**
La puerta principal está realizada en hierro forjado.

LA FORJA
La porta principal està feta en ferro forjat.

FORGING
The main entrance is made of forged iron.

022 **VENTANA**
Ubicada en la administración, combina piedra, cerámica, hierro y vidrio.

FINESTRA
Ubicada a l'administració combina pedra, ceràmica, ferro i vidre.

WINDOW
In the administration lodge stonework, ceramic work, iron and glass combine.

023

024

025

026

023 **LA CÚPULA**
Rematando el pabellón de la administración y decorada con tazas de café, evoca una seta *amanita muscaria*.
LA CÚPULA
Rematant el pavelló de l'administració i decorada amb tasses de cafè, evoca un bolet *amanita muscaria*.
CUPOLA
Topping the administration lodge and decorated with coffee mugs is an *amanita muscaria* mushroom.

024 **VENTANA / FINESTRA / WINDOW**

026 **LA TORRE**
Finamente decorada con cerámicas partidas.
LA TORRE
Finament decorada amb ceràmiques partides.
TOWER
Finely decorated with broken ceramic.

La escalinata

L'escalinata / The stairway

02

La gran escalinata, que finaliza en la sala de las columnas, está dividida en cuatro tramos. Los tres primeros, partidos a la mitad por fuentes con esculturas simbólicas, representan a la Cataluña norte, francesa y a la Cataluña sur, española. En la fuente del primer tramo se aprecia un círculo, en representación al mundo, y un compás graduado que evocan a Gaudí y Güell como promotores del parque. En la segunda fuente, un hexágono con barras amarillas y rojas representa a Cataluña y en la tercera aparece un dragón de cerámica, relacionado con la ciudad de Nimes donde se educó Eusebi Güell.

La gran escalinata, que acaba a la sala de les columnes, està dividida en quatre trams. Els tres primers, partits a la meitat per fonts amb escultures simbòliques, representen la Catalunya Nord, francesa, i la Catalunya Sud, espanyola. A la font del primer tram s'aprecia un cercle, en representació al món, i un compàs graduat que evoquen Gaudí i Güell com a promotors del parc. A la segona font, un hexàgon amb barres grogues i vermelles representa Catalunya i, a la tercera, apareix un drac de ceràmica, relacionat amb la ciutat de Nimes on es va educar Eusebi Güell.

The great stairway, which terminates in the columned room, is divided into four flights. Fountains with symbolic sculptures, representing northern Catalonia, French Catalonia and southern Spanish Catalonia, split the first three in half. On the fountain of the first flight of stairs is a circle, representative of the world, and a graduated compass, recalling Gaudí and Güell as promoters of the park. On the second fountain, a red and yellow barred hexagon represents Catalonia and on the third is a ceramic dragon, related to the city of Nîmes where Eusebi Güell was educated.

027

027 **EL ELEFANTE**
Ubicado al pie de la escalinata, el refugio para las carretas sugiere ser un elefante con patas, trompa y cola.

L'ELEFANT
Ubicat al peu de l'escalinata, el refugi per a les carretes suggereix ser un elefant amb potes, trompa i cua.

ELEPHANT
Placed at the foot of the stairway, the cart shelter is elephant-like with legs, trunk and tail.

028 **PARED**
Acompañando el primer tramo de la escalinata, la pared está decorada con cerámicas troceadas policromadas.

PARET
Acompanyant el primer tram de l'escalinata, la paret està decorada amb ceràmiques trossejades policromades.

WALL
Accompanying the first flight of stairs, the wall is decorated with broken polychromatic tiles.

028

029

La escalinata

● La monumental escalinata tiene 45 escalones y salva un desnivel de más de 6 metros. Las paredes almenadas de los laterales están revestidas con mosaicos troceados que combinan formas cóncavas y convexas formando un damero de cuadrados blancos y de color.

● La monumental escalinata té 45 esglaons i recorre un desnivell de més de 6 metres. Les parets emmerletades dels laterals estan revestides amb mosaics trossejats que combinen formes còncaves i convexes que formen un escaquer de quadrats blancs i de color.

● The monumental stairway has 45 steps and overcomes an unevenness of land spanning more than 6 metres. The crenellated walls on either side are decorated with broken up mosaic work, combining concave and convex shapes creating a white and coloured checker board.

030

030 **ESCUDO HEXAGONAL**
En el segundo tramo de la escalinata, un escudo hexagonal con barras amarillas y rojas representa el sentido catalanista del parque.

ESCUT HEXAGONAL
En el segon tram de l'escalinata, un escut hexagonal amb barres grogues i vermelles representa el sentit catalanista del parc.

HEXAGONAL SHIELD
On the second flight of stairs, a hexagonal shield with red and yellow bars represents the park's Catalan feel.

031 A 35 **DETALLES**
La totalidad de las paredes de la escalinata está cubierta con detalles decorativos realizados en cerámica.

DETALLS
La totalitat de les parets de l'escalinata està coberta amb detalls decoratius fets en ceràmica.

DETAILS
All of the stairway walls are covered with decorative details carried out in ceramic work.

036 **EL MURO**
Una pared almenada se alza en el primer tramo de la escalinata.

EL MUR
Una paret emmerletada s'alça en el primer tram de l'escalinata.

WALL
A crenellated wall rises up the first flight of stairs.

037

038

039

037 **DETALLE DEL DRAGÓN / DETALL DEL DRAC / DRAGON DETAIL**

038 **EL ESCUDO**
El escudo hexagonal, con la serpiente de color bronce, remata el segundo tramo de la escalinata.

L'ESCUT
L'escut hexagonal, amb la serp de color bronze, remata el segon tram de l'escalinata.

SHIELD
The hexagonal shield, with bronze-coloured serpent, finishes off the second flight of stairs.

039 **PRIMERA FUENTE**
Ubicada al pie de la escalinata, evoca a Gaudí y Güell como constructores y arquitectos.

PRIMERA FONT
Ubicada al peu de l'escalinata, evoca Gaudí i Güell com a constructors i arquitectes.

FIRST FOUNTAIN
Placed at the foot of the stairway, it recalls Gaudí and Güell as constructors and architects.

040 **EL DRAGÓN / EL DRAC / DRAGON**

040

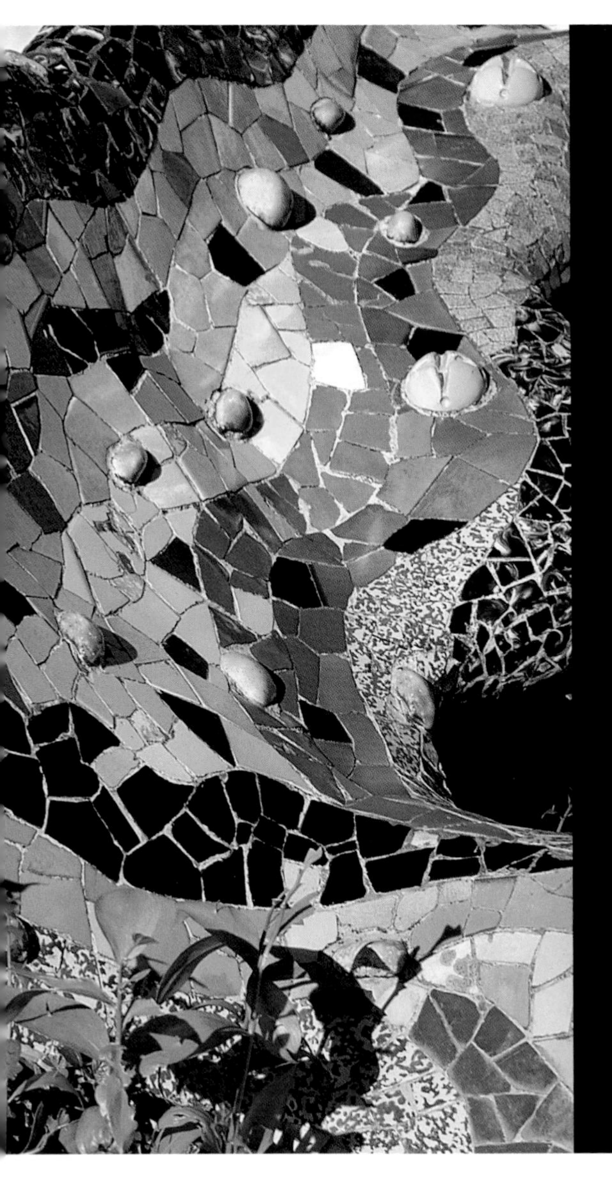

041
El dragón

● Construido entre 1900 y 1903, con el tiempo se transformó en la escultura más popular del Park Güell. Ubicado sobre la fuente del tercer tramo de la escalinata, el dragón o salamandra está recubierto de cerámicos en trencadis de vivos colores. Se cree que representa a la ciudad de Nimes, Cataluña francesa.

● Construït entre 1900 i 1903, amb el temps es va transformar en l'escultura més popular del Park Güell. Ubicat sobre la font del tercer tram de l'escalinata, el drac o salamandra està recobert de ceràmics en trencadís de colors vius. Es creu que representa la ciutat de Nimes, Catalunya francesa.

● Carried out between 1900 and 1903, with the passing of time it has become Park Güell's most emblematic sculpture. Placed over the fountain on the third flight of stairs, the dragon or salamander is covered in trencadis ceramic work (broken-up tiles) of vibrant colour. The dragon is believed to represent the city of Nîmes, on the French side of Catalonia.

042

043

044

045

046

042 **EL TRÍPODE**
Culminando el tercer tramo, un elemento en forma de trípode destaca sobre el dragón.
EL TRÍPODE
Culminant el tercer tram, un element en forma de trípode destaca sobre el drac.
TRIPOD
Marking the third flight, a tripod-shaped element is over the dragon.

043 Y 046 **EL BANCO**
Al pie del cuarto tramo, un banco con forma de boca domina el acceso principal.
EL BANC
Al peu del quart tram, un banc en forma de boca domina l'accés principal.
BENCH
At the foot of the fourth flight of stairs, the main access way is dominated by a mouth shaped bench.

044 Y 045 **EL TRÍPODE**
Decorado con motivos naturalistas, está trabajado con cerámicas policromadas.
EL TRÍPODE
Decorat amb motius naturalistes, està treballat amb ceràmiques policromades.
TRIPOD
Polychromatic ceramic work decorated with naturalistic motifs.

El mercado y la plaza
El mercat i la plaça / The market and the square

03

- El conjunto de la sala de las columnas o mercado y la plaza fueron las últimas construcciones que se realizaron en el Park Güell. La primera, formada por 86 columnas de estilo dórico, fue originalmente concebida como zona destinada al mercadillo. El techo contiene cuatro representaciones del sol rodeado por lunas, realizadas en cerámica y vajilla de desecho. La gran plaza, ubicada sobre la sala hipóstila, sería el lugar donde se desarrollarían las celebraciones y la vida comunitaria. En el perímetro de la plaza se encuentra el banco ondulante, una de las grandes obras de arte del siglo XX.

- El conjunt de la sala de les columnes o mercat i la plaça van ser les últimes construccions que es van fer al Park Güell. La primera, formada per 86 columnes d'estil dòric, es va concebre originalment com a zona destinada al mercat. El sostre conté quatre representacions del sol envoltat per llunes, fetes en ceràmica i vaixella de rebuig. La gran plaça, ubicada sobre la sala hipòstila, devia ser el lloc on es desenvolupaven les celebracions i la vida comunitària. En el perímetre de la plaça es troba el banc ondulant, una de les grans obres d'art del segle XX.

- The arrangement of the columned room or market and the square were the last constructions that were carried out in Park Güell. The first area, comprising of 86 Doric columns, was originally intended as a market place. The ceiling contains four representations of the sun surrounded by moons, carried out in ceramic work and broken crockery. The large square, situated above the hypostyle hall, would be used for celebrations and community life. On the perimeter of the square is an undulating bench, one of the great works of twentieth century art.

047

047 **SALA DE LAS COLUMNAS**
Ubicada al final de la escalinata, cuenta con 86 columnas con capiteles de estilo dórico.
SALA DE LES COLUMNES
Ubicada al final de l'escalinata, està formada per 86 columnes amb capitells d'estil dòric.
COLUMNED ROOM
Found at the top of the main stairway, it has 86 columns with Doric style capitals.

048 **LOS CAPITELES Y EL ARQUITRABE**
Como si fuese un templo griego, destacan el arquitrabe decorado con gotas y los capiteles dóricos.
ELS CAPITELLS I L'ARQUITRAU
Com si fos un temple grec, destaquen l'arquitrau decorat amb gotes i els capitells dòrics.
CAPITALS AND ARCHITRAVE
As if it were a Greek temple, the architrave decorated with droplets and Doric capitals stand out.

049 **CABEZA DE LEÓN**
Ubicadas a lo largo del arquitrabe, tienen la función de gárgolas.
CAP DE LLEÓ
Ubicades al llarg de l'arquitrau, tenen la funció de gàrgoles.
LION HEAD
Placed at the length of the architrave it functions as a gargoyle.

050 **LAS GOTAS / LES GOTES / DROPLETS**

051 **CAPITEL**
De estilo dórico, el capitel se une delicadamente al techo de cerámicas.
CAPITELL
D'estil dòric, el capitell s'uneix delicadament al sostre de ceràmiques.
CAPITAL
Of Doric style, the capital delicately joins up with the ceramic work ceiling.

048

049

050

051

052

Sala de las columnas

● Construida entre 1908 y 1909, la sala, también conocida como el mercado, está ubicada sobre una gran cisterna. En el interior de algunas columnas hay un tubo que lleva el agua de lluvia que cae sobre la gran plaza a la cisterna. Las columnas exteriores están levemente inclinadas para equilibrar el peso que soportan.

● Construïda entre 1908 i 1909, la sala, també coneguda com el mercat, està ubicada sobre una gran cisterna. A l'interior d'algunes columnes hi ha un tub que porta l'aigua de pluja que cau sobre la gran plaça a la cisterna. Les columnes exteriors estan lleument inclinades per equilibrar el pes que suporten.

● Built between 1908 and 1909, the room, also known as the market, is placed over a great cistern. There is a tube inside some of the columns, carrying the rainwater that has fallen on the large square to the cistern. Exterior columns slightly tilt in order to equally distribute the weight they support.

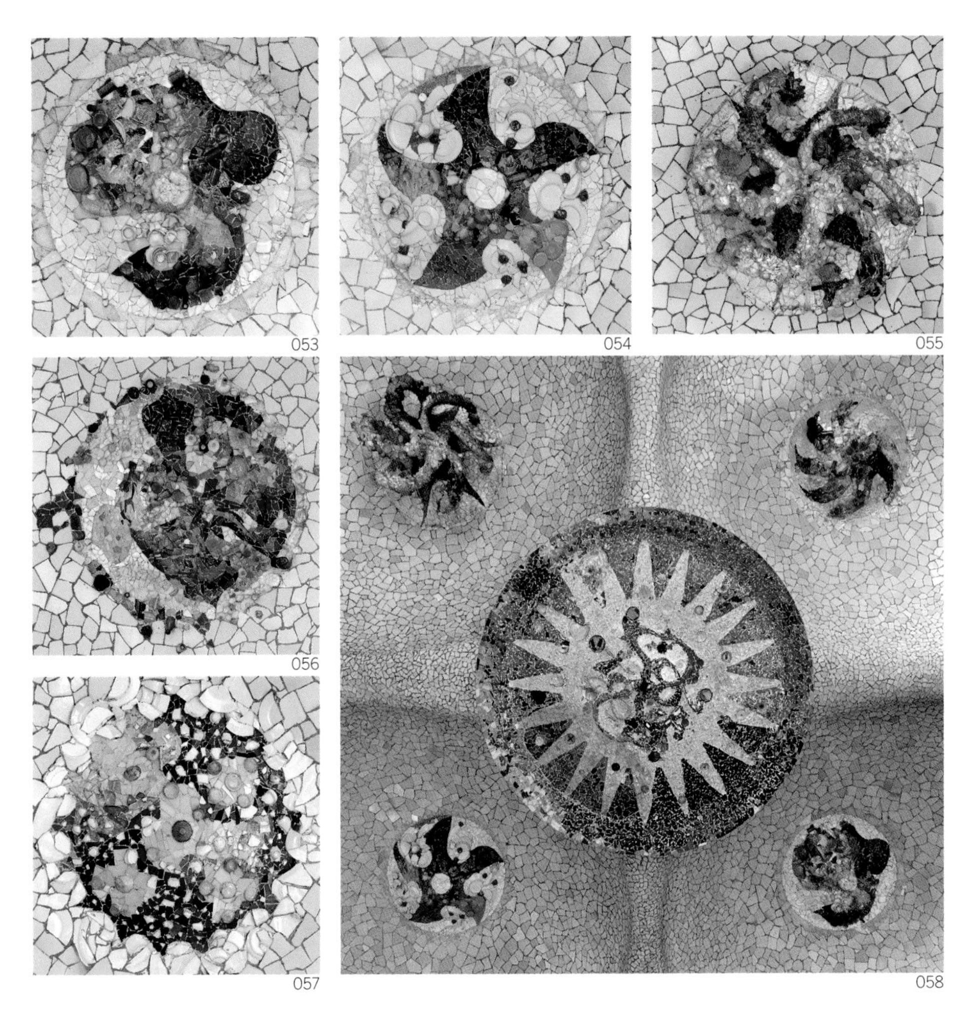
053 054 055 056 057 058

053 A 057 **LAS LUNAS**
Son 14 y están ubicadas alrededor de los soles.
LES LLUNES
N'hi ha 14 i estan ubicades al voltant dels sols.

MOONS
There are 14 of them and they are placed around the suns.

058 **SOL DE OTOÑO**
Es uno de los cuatro soles, en donde el color representa a la estación. Sus 20 puntas están situadas alrededor de la figura de una cinta de formas curvas.
SOL DE TARDOR
És un dels quatre sols, en què el color representa l'estació. Les 20 puntes se situen al voltant de la figura d'una cinta de formes corbes.
AUTUMN SUN
It is one of the four suns, with its colour representing

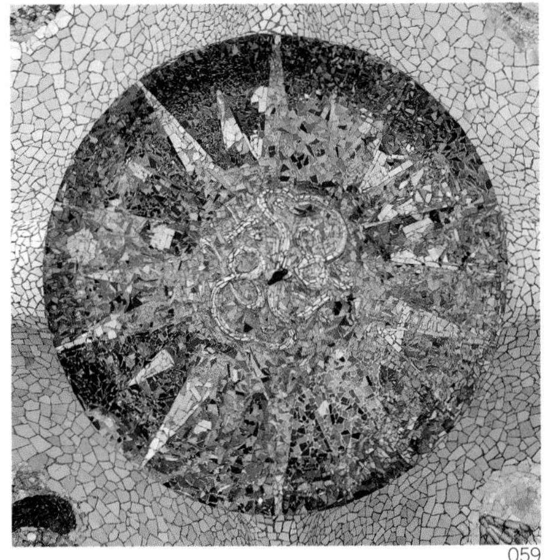

059

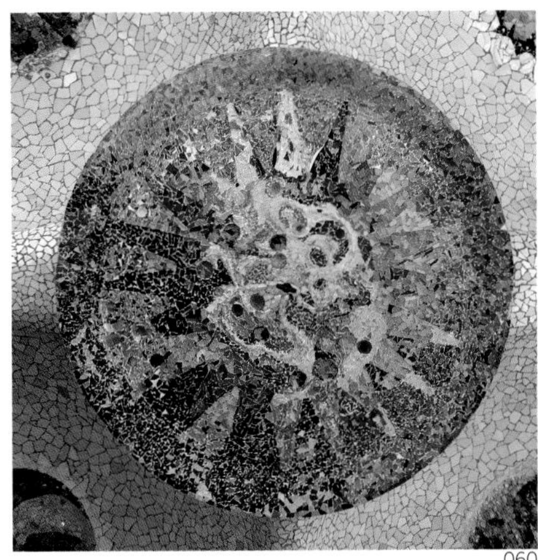

060

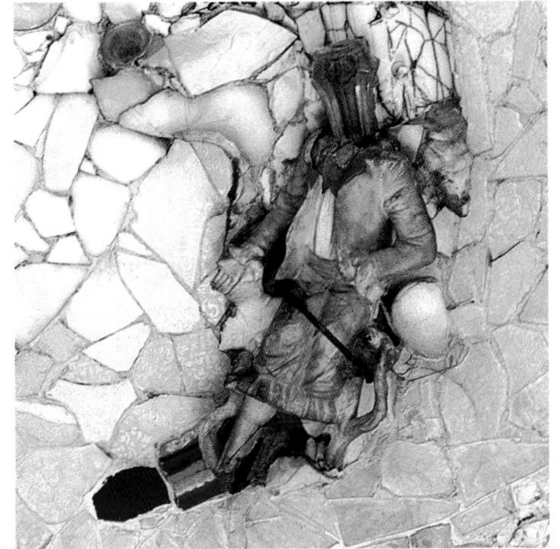

061

062

the season. Its 20 points are situated around a spiralling ribbon.

059 **SOL DE VERANO / SOL D'ESTIU / SUMMER SUN**

060 **SOL DE PRIMAVERA / SPRING SUN**

061 **DETALLE**
En una de las lunas del sol de Otoño destaca una figura con cabeza de tapón de botella.
DETALL
En una de les llunes del sol de tardor, destaca una figura amb cap de tap d'ampolla.
DETAIL
Standing out on one of the autumn sun's moons is a figure with bottle top head.

062 **SOL DE INVIERNO / SOL D'HIVERN / WINTER SUN**

063

064

065

066

067

063 **BANCO ONDULANTE**
Ubicado en la mitad del perímetro de la gran plaza, es una de las grandes obras de Gaudí.

BANC ONDULANT
Ubicat a la meitat del perímetre de la gran plaça, és una de les grans obres de Gaudí.

UNDULATING BENCH
It is one of Gaudí's great works and is placed halfway along the perimeter of the large square.

064 A 067
BANCO ONDULANTE
En la parte exterior del banco, las formas realizadas en trencadis policromado se organizan alrededor del agujero de desagüe.

BANC ONDULANT
A la part exterior del banc, les formes realitzades en trencadís policromat s'organitzen al voltant del forat de desguàs.

UNDULATING BENCH
On the exterior part of the bench, the shapes in polychromatic trencadis are arranged around the hole of the drainage pipe.

068

La gran plaza

● De grandes dimensiones y con magníficas vistas de Barcelona, la gran plaza está ubicada sobre la sala de las columnas y fue concebida como el lugar donde se desarrollarían las celebraciones y la vida social. El banco ondulante, una de las obras más reconocidas de Gaudí, bordea parte del perímetro de la plaza.

● De grans dimensions i amb vistes magnífiques de Barcelona, la gran plaça està ubicada sobre la sala de les columnes i es va concebre com el lloc on s'havien de dur a terme les celebracions i la vida social. El banc ondulant, una de les obres més reconegudes de Gaudí, envolta una part del perímetre de la plaça.

● Of a large size and with magnificent views of Barcelona, the square is over the columned room and was designed as a place for celebrations and social activities. The undulating bench, one of Gaudí's most famous works, borders part of the square's perimeter.

069 070 071 072 073 074

069 A 081

BANCO ONDULANTE

A lo largo del banco ondulante, un sinnúmero de formas y materiales inundan de vivos colores la gran plaza. Gaudí y Jujol han sabido explotar el método del trencadís, logrando que este banco se convirtiera en una de las obras más reconocidas del parque.

BANC ONDULANT

Al llarg del banc ondulant, innombrables formes i materials inunden de colors vius la gran plaça. Gaudí i Jujol han sabut explotar el mètode del trencadís, i han aconseguit que aquest banc es convertís en una de les obres més reconegudes del parc.

UNDULATING BENCH

Countless shapes and materials of vibrant colour flood the square along the length of the undulating bench. Gaudí and Jujol knew how to

075 076 077 078 079 080 081

exploit the trencadis technique, with this bench becoming one of the most recognized works of the park.

Los caminos
Els camins / The pathways

04

Al comenzar el proyecto en el año 1900, Gaudí se propuso solucionar los grandes desniveles del terreno para dotar de buenas comunicaciones a los diversos sitios del parque. Para ello, creó un ingenioso y complejo sistema de calles principales y secundarias para los carros y atajos para los peatones, construidos únicamente con materiales extraídos del mismo parque, sin modificar el paisaje natural. Los tres kilómetros de sinuosos caminos, algunos porticados y otros como viaductos, cuentan con numerosas columnas inclinadas recubiertas con piedra formando diferentes diseños.

En començar el projecte l'any 1900, Gaudí es va proposar solucionar els grans desnivells del terreny per dotar de bones comunicacions els diversos llocs del parc. Per a fer-ho, va crear un enginyós i complex sistema de carrers principals i secundaris per als carros i dreceres per als vianants, construïts únicament amb materials extrets del mateix parc, sense modificar el paisatge natural. En els tres quilòmetres de camins sinuosos, alguns de porticats i d'altres com viaductes, es poden veure un gran nombre columnes inclinades recobertes amb pedra que formen diferents dissenys.

On starting the project in the year 1900, Gaudí set about solving the problem of extremely uneven terrain in order to facilitate accessibility from one area of the park to the other. To do so, he created an ingenious and complex system of main and secondary thoroughfares for carts and shortcuts for pedestrians, solely built with material extracted from the actual park, without having to modify the natural landscape. Three kilometres of winding paths, some with arches and others with viaducts, possess numerous leaning stone-rendered columns of different designs.

082

083

084

082 **TIESTOS / TESTOS / FLOWERPOTS**

083 **VIADUCTO MEDIO**
Según se dice, Gaudí quiso conservar un tronco de algarrobo que se encuentra en el viaducto medio.
VIADUCTE MITJÀ
Segons es diu, Gaudí va voler conservar un tronc de garrofer que es troba al viaducte mitjà.
MIDWAY VIADUCT
It is said that Gaudí wanted to preserve a trunk of a carob tree, which is found halfway along the viaduct.

084 **ESCALERAS / ESCALES / STEPS**

085 **LOS ASIENTOS**
El viaducto alto presenta unos asientos con respaldo.
ELS SEIENTS
El viaducte alt presenta uns seients amb respatller.
SEATS
The high viaduct has some seats with back support.

085

086

Pórtico de la Lavandera

● Ubicado a la izquierda de la gran plaza, el paseo porticado está formado por una sucesión de columnas de piedra, que al estar inclinadas soportan mejor el empuje y el peso de la tierra. La pared inclinada, junto con las columnas, generan una forma envolvente similar a una gran ola en el mar.

● Ubicat a l'esquerra de la gran plaça, el passeig porticat està format per una successió de columnes de pedra, que en estar inclinades, suporten millor l'empenta i el pes de la terra. La paret inclinada, juntament amb les columnes, genera una forma envoltant similar a una gran onada al mar.

● Placed on the left of the square, the arcaded walkway is made up of a series of stone columns, which are tilted to support the force and weight of the soil. The tilting wall, along with the columns, generates a sweeping shape similar to the waves of the sea.

087

087 **VIADUCTO ALTO**
Construido con grandes columnas, el viaducto tiene unas hermosas vistas del parque.
VIADUCTE ALT
Construït amb grans columnes, el viaducte té unes belles vistes del parc.
HIGH VIADUCT
Built with large columns, the viaduct boasts some beautiful views of the park.

088 **LA LAVANDERA**
Ubicada en una de las columnas del pórtico, es parte de una serie de esculturas.
LA BUGADERA
Ubicada en una de les columnes del pòrtic, és part d'una sèrie d'escultures.
WASHERWOMAN
Placed on one of the columns of the portico, it is part of a series of sculptures.

089 **LA PUERTA**
Ubicada al inicio del pórtico de la Lavandera, está trabajada en hierro forjado.
LA PORTA
Ubicada a l'inici del pòrtic de la Bugadera, està treballada en ferro forjat.
DOOR
Situated at the start of the Washerwoman portico, it is worked in forged iron.

090 **VIADUCTO MEDIO**
Las bóvedas que cubren el viaducto también están realizadas con piedra del mismo parque.
VIADUCTE MITJÀ
Les voltes que cobreixen el viaducte també estan fetes amb pedra del mateix parc.
MIDWAY VIADUCT
Vaults covering the viaduct are also carried out in stone extracted from the park.

091 **COLUMNAS HELICOIDALES**
Gaudí utilizó en algunas de las columnas la forma helicoidal, ya que soportaban mejor los pesos de la tierra.
COLUMNES HELICOÏDALS
Gaudí va utilitzar en algunes de les columnes la forma helicoïdal, ja que suportaven millor els pesos de la terra.
HELICOIDAL COLUMNS
In some of the columns Gaudí used a helicoid shape, as they would support the weight of the earth much better.

088

089

090

091

092

092 **PÓRTICO DE LA LAVANDERA**
Palmeras y otras figuras están representadas junto a las columnas del pórtico.

PÒRTIC DE LA BUGADERA
Palmeres i altres figures estan representades al costat de les columnes del pòrtic.

WASHERWOMAN PORTICO
Palm trees and other figures are represented next to the portico columns.

093 A 098 **DETALLES**
Gaudí construyó caminos y viaductos para una mejor comunicación dentro del parque y los dotó de nume-

093 094 095 096 097 098 099

rosos elementos decorativos y simbólicos.

DETALLS

Gaudí va construir camins i viaductes per a una millor comunicació i els va dotar d'un gran nombre d'elements decoratius i simbòlics.

DETAILS

Gaudí constructed paths and viaducts for better communication and they were endowed with numerous decorative and symbolic elements.

099 **CASA TRIAS / TRIAS HOUSE**

100

Los caminos

● Gaudí desarrolló un complejo sistemas de caminos y viaductos con el objetivo de dar accesibilidad a cada zona del Park Güell. En algunos sitios, a causa del gran desnivel del terreno, tuvo que realizar un doble nivel de columnas helicoidales, inclinándolas para que soportasen mejor el peso de la tierra.

● Gaudí va desenvolupar un complex sistema de camins i viaductes amb l'objectiu de donar accessibilitat a cada zona del Park Güell. En alguns llocs, a causa del gran desnivell del terreny, va haver de fer un doble nivell de columnes helicoïdals, inclinant-les perquè suportessin millor el pes de la terra.

● Gaudí developed a complex system of paths and viaducts to facilitate accessibility throughout the entire area of Park Güell. In some places, because of the unevenness of terrain, he had to design a double layer of helicoidal columns, tilting them in order that they could support the weight of the earth better.

101

101 **LAS TRES CRUCES**
Ubicado al oeste del parque, en la cima del *turó de las Menas*, un talayote con tres cruces se alza en una de las zonas más altas del parque.
LES TRES CREUS
Ubicat a l'oest del parc, al cim del *turó de les Menes*, un talaiot amb tres creus s'alça en una de les zones més altes del parc.
THE THREE CROSSES
Found on the left hand side of the park, on the *turó de las Menas* hill, a megalithic monument topped with three crosses rises up in one of the highest areas of the park.

102 **LA ESCALERA**
Las escaleras que rodean el talayote fueron construidas totalmente con piedras extraídas del parque.
L'ESCALA
Les escales que envolten el talaiot es van construir totalment amb pedres extretes del parc.
THE STEPS
The steps, which go around the megalithic monument, are made from stone extracted from the park.

103 Y 104 **LAS CRUCES**
Ubicadas en lo alto del talayote, las cruces pueden verse desde gran distancia.
LES CREUS
Ubicades dalt del talaiot, les creus es poden veure des de gran distància.
THE CROSSES
Placed on the megalith, the crosses can be viewed a long distance away.

102

103

104

Casa Museo Gaudí

Casa Museu Gaudí / Gaudí House Museum

05

Construida por el arquitecto Francesc Berenguer entre 1903 y 1904, era la casa que se usaba de modelo para enseñar a los futuros propietarios de la urbanización. Hacia 1906 y ante la falta de interesados en el Park Güell, Gaudí decide comprarla y ese mismo año se traslada a vivir con su padre, su sobrina y la criada. La casa, conocida como la *torre rosa*, fue habitada hasta el año 1925, fecha en que Gaudí se traslada a vivir al estudio del templo de la Sagrada Familia. La Casa Museo fue inaugurada en 1963 y cuenta con objetos personales del arquitecto, muebles, maquetas y numerosos dibujos.

Construïda per l'arquitecte Francesc Berenguer entre 1903 i 1904, era la casa que s'usava de model per ensenyar als futurs propietaris de la urbanització. Cap a 1906 i davant la falta d'interessats en el Park Güell, Gaudí decideix comprar-la i aquest mateix any s'hi trasllada a viure amb el seu pare, la seva neboda i la criada. La casa, coneguda com la *torre rosa*, va ser habitada fins a l'any 1925, data en què Gaudí es trasllada a viure a l'estudi del temple de la Sagrada Família. La Casa Museu es va inaugurar el 1963 i s'hi poden veure objectes personals de l'arquitecte, mobles, maquetes i un gran nombre de dibuixos.

Built by architect Francesc Berenguer between 1903 and 1904, it was the house that was used as show-home to show prospective owners how the urban development plan would take shape. However, in 1906, due to the lack of interest shown in Park Güell, Gaudí decided to purchase this house and in the same year he set up home there with his father, niece and maid. Known as the *pink tower*, Gaudí used it up until 1925 when he decided to move into his study in the Sagrada Familia temple. The House-Museum was opened in 1963 and within it are some of the architect's personal belongings such as his furniture, models and numerous drawings.

105

106

107

105 **CHIMENEA**
Ubicada junto a una de las terrazas, la chimenea evoca la variable de seta *colmenilla*.
XEMENEIA
Ubicada al costat d'una de les terrasses, la xemeneia evoca la variable de bolet múrgola.

CHIMNEY
Placed next to one of the terraces, the chimney is like a *colmenilla* mushroom.

106 **DECORACIÓN**
Sobre las paredes, numerosos motivos modernistas y naturalistas dan vida a la casa.

DECORACIÓ
Sobre les parets, un gran nombre de motius modernistes i naturalistes donen vida a la casa.
DECORATIONS
Life is breathed into the house by the numerous modernist and naturalist motifs on its walls.

107 **LA ENTRADA**
Realizada en forja de hierro, la puerta está ubicada sobre uno de los caminos que llegan a la gran plaza.
L'ENTRADA
Construïda en forja de ferro, la porta està ubicada sobre un dels camins que arriben a la gran plaça.

108

ENTRANCE
Carried out in forged iron, the gate is placed on one of the paths that arrive at the large square.

108 **LOS VENTANALES**
Bien iluminada, la casa cuenta con numerosas ventanas que miran hacia los cuatro lados.

ELS FINESTRALS
Ben il·luminada, la casa disposa d'un gran nombre de finestres que miren cap als quatre costats.

WINDOWS
The house is well illuminated due to its numerous windows on all four sides.

109

110

111

112

109 **EL VESTÍBULO**
Austero y amplio, el vestíbulo cuenta con una escultura de Gaudí realizada en bronce por el escultor Joan Matamala Flotats.
EL VESTÍBUL
Auster i ampli, al vestíbul s'hi pot veure una escultura de Gaudí feta en bronze per l'escultor Joan Matamala Flotats.
HALL
An austere and wide hall boasts a bronze sculpture of Gaudí, carried out by sculptor Joan Matamala Flotats.

110 **LA SALA COMEDOR**
Ambientada a la época, exhibe los muebles de la casa Batlló, construida por Gaudí entre 1904 y 1906.
LA SALA MENJADOR
Ambientada a l'època, exhibeix els mobles de la casa Batlló, construïda per Gaudí entre 1904 i 1906.
DINING ROOM
In the style of the period, there is furniture from Batlló house, designed by Gaudí between 1904 and 1906.

111 **EL BANCO**
De formas modernistas, un banco de la casa Calvet se exhibe en una de sus salas.
EL BANC
De formes modernistes, un banc de la casa Calvet s'exhibeix en una de les seves sales.
BENCH
A modernist shape bench from Calvet house is exhibited in one of the rooms.

112 **LA BARANDILLA**
Accediendo a la primera planta, la escalera tiene una barandilla trabajada en madera y forja de hierro.
LA BARANA
Accedint a la primera planta, l'escala té una barana treballada en fusta i forja de ferro.
BANNISTER
Climbing up to the first floor, the staircase has a bannister which is made of wood and forged iron.

113

Dormitorio de Gaudí

● De austera decoración, el dormitorio que utilizó Gaudí está ubicado en la primera planta de la casa y cuenta con magníficas vistas del parque. Ambientado con los muebles del arquitecto, destaca la cama de hierro de estilo modernista y la cruz de su colaborador el escultor Carles Mani.

● De decoració austera, el dormitori que va utilitzar Gaudí està ubicat a la primera planta de la casa i té magnífiques vistes del parc. Ambientat amb els mobles de l'arquitecte, destaca el llit de ferro d'estil modernista i la creu del seu col·laborador, l'escultor Carles Mani.

● Of austere decoration, the bedroom that Gaudí used is on the first floor of the house and boasts magnificent views of the park. Filled with the architect's furniture, the modernist style iron bed and cross, made by his collaborator, sculptor Carles Mani, particularly catch the eye.

114

114 **SALA IBARZ-CLAPÉS**
Una de las habitaciones de la primera planta exhibe los muebles diseñados por el artista Aleix Clapés con intervención de Gaudí.

SALA IBARZ-CLAPÉS
Mobles dissenyats per l'artista Aleix Clapés amb intervenció de Gaudí.

IBARZ-CLAPÉS ROOM
Furniture designed by artist Aleix Clapés with the participation of Gaudí.

115 Y 118 **DETALLES DEL TECHO / DETALLS DEL SOSTRE / CEILING DETAILS**

116 **ESGRAFIADO DE MARÍA / ESGRAFIAT DE MARIA / MARY SGRAFFITI**

117 Y 121 **LÁMPARAS / LLUMS / LAMPS**

115 116 117 118 119 120 121

119 **ESCALERA A LA TORRE**
La escalera caracol es de formas orgánicas y comunica la biblioteca con la torre.
ESCALA A LA TORRE
De formes orgàniques, comunica la segona planta amb la torre.
TOWER STAIRCASE
Of organic shape, connects second floor with tower.

120 **DETALLE DEL SUELO / DETALL DEL TERRA / FLOOR DETAIL**

PARK GÜELL, NATURALEZA Y OBRA DE ARTE

www.dosdearte.com
info@dosdearte.com

© EDICIÓN / EDICIÓ / PUBLISHED BY
2007, DOS DE ARTE EDICIONES, S.L.

© TEXTOS / TEXTS
CARLOS GIORDANO RODRÍGUEZ & NICOLÁS PALMISANO

© FOTOGRAFÍAS / FOTOGRAFIES / PHOTOGRAPHS
CARLOS GIORDANO RODRÍGUEZ & NICOLÁS PALMISANO

AGRADECIMIENTOS / AGRAÏMENTS / ACKNOWLEDGMENTS

- TRADUCCIÓN AL INGLÉS / ENGLISH TRANSLATION: CERYS R. JONES
- TRADUCCIÓN AL CATALÁN / CATALAN TRANSLATION: LAURA LLAHÍ RIBÓ

- JUNTA CONSTRUCTORA DEL TEMPLE EXPIATORI DE LA SAGRADA FAMÍLIA Y LA CASA MUSEU GAUDÍ (FOTOS DE 108 A 121)

- INSTITUT MUNICIPAL DE PARCS I JARDINS

SEGUNDA EDICIÓN, 2007 / SECOND EDITION, 2007

ISBN
978-84-934492-7-8

DEPÓSITO LEGAL
B-7093-2006

IMPRESO EN ESPAÑA / IMPRÈS A ESPANYA / PRINTED IN SPAIN
I.G. MARMOL